रामनवमी

शुभांजली निषाद एवं राहुल बी. आर.

क्रम-सूची

क्रम-सूची

क्रम-सूची

प्रकाशन के बारे में

वड्र्स ऑफ सोल एक राइटिंग कम्युनिटी है, जहां हमारे पास नए नवोदित लेखकों का एक समूह है, जो भावनाओं को शब्दों में ढालने की अपनी प्रतिभा के साथ हैं।

उत्साही लेखकों को प्रोत्साहित करने और उनकी सराहना करने के लिए 15 मई 2021 को डॉ. निकिता दुदागी और लकी पांडे द्वारा गठित समुदाय के सर्वश्रेष्ठ लेखक को पहचानने के लिए साप्ताहिक विशेष कार्यक्रम और कार्यक्रम आयोजित किए जा रहे हैं। वड्र्स ऑफ सोल, महत्वाकांक्षी लेखकों का एक समूह जो पाठक के मन को प्रेरित करने के लिए अपने दिल की भावनाओं को स्याही करता है।

वड्र्स ऑफ सोल पब्लिकेशन केवल एक प्रकाशन नहीं है, यह लेखकों का एक प्रकार का परिवार है जिसमें सह-लेखक, लेखक, लेखक, संकलक, सह-संकलक, ग्राफिक टीम, परियोजना प्रमुख, सीईओ, सह-संस्थापक और संस्थापक शामिल हैं। यहां हर कोई अपने विचार देने के लिए स्वतंत्र है

और हम उनके कार्यों की पहल करते हैं....

प्रस्तावना

यह पुस्तक हिंदू भगवान राम के विचारों और भावनाओं को व्यक्त करती है। यहाँ प्रत्येक लेखक ने अपने को अलग-अलग, उत्कृष्ट और कुशल ढंग से अभिव्यक्त किया है। यह पुस्तक भगवान राम के प्रति प्रेम और भक्ति को कायम रखती है। सभी लेखकों ने अपना बहुमूल्य समय देकर अपनी मेहनत से बहुत अच्छा लिखा है और यहाँ वे यह कहने की कोशिश कर रहे हैं कि भक्ति और खिलाड़ी कुछ भी और सब कुछ बदल सकते हैं और यह अतुलनीय है। उन्होंने अपने हृदय की गहराई से खुशी की भावनाओं और सच्ची भक्ति के साथ लिखा है।

यह पुस्तक "वर्ड्स ऑफ सोल" के तहत प्रकाशित हुई है और शुभांजलि निषाद और राहुल द्वारा संकलित है। बी.आर.

आभार

सबसे पहले और सबसे महत्वपूर्ण, सर्वशक्तिमान परमेश्वर की स्तुति और धन्यवाद,
पुस्तक को सफलतापूर्वक पूरा करने के लिए मेरे कार्य के दौरान उनकी आशीषों की वर्षा के लिए।

और दूसरा मैं आत्मा प्रकाशन के शब्दों को धन्यवाद देना चाहूंगा जो मुझे आत्मा प्रकाशन के शब्दों के तहत अपने संकलन (रामनवमी) को संकलित करने का अवसर दे सकते हैं।

और तीसरा मेरे सभी प्यारे लेखकों को धन्यवाद जो इस एंथोलॉजी में अपने विचारों को खूबसूरती से लिख सकते हैं और हमारे साथ सहयोग कर सकते हैं और कम समय में इस एंथोलॉजी के स्लॉट को पूरा करने में मेरी मदद कर सकते हैं। और विशेष धन्यवाद, मेरे प्यारे पाठक, हम पर विश्वास करने और इस खूबसूरत किताब को पढ़ने के लिए।

1. Shubhanjali Nishad

Compiler

ये नाम शुभांजली निषाद है इनका जन्म 21 दिसंबर को उत्तर
प्रदेश के जिले कानपुर में हुआ था । वा इन्होंने अपनी शिक्षा
सीजेएसएम यूनिवर्सिटी से पूर्ण की है इनको लिखने का काफी
शौक वा इनकी रुचि हिंदी काव्य लेखन में भी है अथवा यह इस
पुस्तक "रामनवमी" की संकलन कर्ता भी है । वह 500+ से अधिक
संकलनों में सह-लेखक के तौर पर भाग ले चुकी हैं और उन्होंने दो

संकलन भी किये हैं इनकी पहली संकलन पुस्तक का नाम "किसान" और दूसरे संकलन का नाम "फीलिंग्स ऑफ हार्ट" था । इन्हें लिखने के साथ ही पुस्तके पढ़ने वा नई जगहों पर घूमना भी अधिक पसंद करती हैं ।

वह सभी प्रकार की कविताएं लिखने में रुचि रखती है । और उन्हें कल्पनाओं में भ्रमण करना पसंद है उन्हीं कल्पना पर मदद के माध्यम से ये अपने विचारों को कोरे पन्नों में अपनी रचनाओं को खूबसूरती से लिखने कि हुनर रखतीं हैं और इन्होंने अपनी कविता लेखन की माध्यम से कयी रोज़ाना काव्य प्रतियोगिता में भाग लिया है एवं ये कयी प्रतियोगिता में विजय भी हुई है

नव वर्ष का आगाज़ (रामनवमी)

ना जाने कंहा अब हिन्दुओं का अस्तित्व खो गया है,

ना जाने कंहा अब हिन्दु रिती रिवाज का संस्करण गुम हो गया है ।

अंग्रेजी कलेंडर के हिसाब से तो अब नया साल हो गया है,

परंतु हिंदी कलेंडर में वही पुराने साल का विवरण चल रहा है ।

खैर अब वक़्त गुजरते दिन और रात में फासला हो गया है,

देखो देखो फाल्गुन माह खत्म होते चैत्र मास का आगाज़ हो गया है ।

गौर से जो हमने वक्त की रेस करवट को लेते देखा तो।

नये फसलों में अब फल आ गया है अब पेड़ों और खेतों

में भी एक परिवर्तन आ गया है मानों हिन्दुओं के नव वर्ष

का आगाज़ भी अभी से हो गया है ज़हां दिन बदल रहें हैं

रातें भी हो रही है छोटी ज़हां बीज बदल के भी हो रहें हैं

अनाज ये आमों के पेंड़ों पर लगे बौर भी बन रहें हैं फल

अब लग रहा है ये सारे परिवर्तन देख की नवरात्रि

नौ माताओं के पूजा पाठ का दिन करीब आ गया है।

अब अयोध्या में भी जय श्री राम गूंजेगा मंदिरों के घंटी

घड़ियालों में भी जयकारे

का शोर बोलेगा तब फिर से,

जागेगा ये संसार जब सबको पता चलेगा की राम लला

का जन्मदिन भी गुजरते साल के साथ करीब आ गया है ।

2. Rahul B R

Compiler

He is Rahul.B.R
He was born in 19/09/1999 Ramanagara district, Karnataka.
But he is perceiving his higher studies in Bangalore. He has completed bachelor degree in science. He like to know more about literature and want to study more and more about it... He started writing poems from past four years and he writes all kinds of poems... on life, about nature's beauty, love and much more. He is coauthored in many books, Compiler of the book called "The Song Of Nature", "Nemophilist", "The Song

Of Paradise", "Wings To Your Thoughts", "The Unchosen Bond" and "You Are Mine" and also his poems has been published in his college magazine too.

LORD RAMA

The Hindu God,

Who should way of good.

I always follow him,

To gain and win.

I want to be same

And the way like him,

He is incomparable

And truly unbelievable.

He never broke his words

So he is famous worldwide,

Many are his devotee

Because he is role model to see.

He is the only one,

Like him there is none.

I always bow to him,

He is Hindu's fame.

3. Binod Dawadi

He is Binod Dawadi from Purano Naikap 13, Kathmandu, Nepal. He has completed his Master's Degree from Tribhuvan University in Major English. He likes to read and write literary forms. He has created many poems and stories. His hobbies are reading, writing, singing, watching movies, traveling, gardening, etc. He likes pets. He is a creative man he does not spends his time by doing nothing. He is always helping for the poor people. He can't see the troubles and obstacles of the people. He believes that from the writing and from the art it is possible to change the knowledge and perspectives of the people towards any things. He loves his country Nepal very much. He has known many cultures of his country as well as foreign countries. He is always thinking wisely towards any things. He solves his problems by using his mind. He dreams to be a great man in his life.

Ramnavmi

Ram was kind and gentle,

Ram was sweet and brave,

He was the obedient son of Dashrath,

He was exiled for fourteen years,

Inside the palace,

He was able to bear the all,

Difficulties in the fourteen years,

He was also facing the kidnapping,

Of his wife and last breathe,

Of his brother Laxman,

But at last he fights with his friends,

Save his brother,

As well as he killed Ravan,

He saved Sita,

Then he became King of Ayodhya,

For his life and for his good works,

We celebrate the Ramnavmi,

We always should remember and worship Ram,

As well as we should be like him Ram is immortal,

In Ramnavmi people worship Ram and his works.

©® Binod Dawadi

4. Nilofar Farooqui Tauseef

Nilofar Farooqui Tauseef, born and brought up from Bihar Sharif, Nalanda but living in Mumbai. She has completed MCA and MBA. Software Engineer by profession and writer by passion. She loves penning down her thoughts, emotions through her writing. For her "Pen is a sword to bring revolution". She wants to make a new changes in life by the motivational quotes or speeches. You can check her fb and instagram

रामनवमी

handled - @writernilofar

पसंदीदा फल पेय-बेरी

खट्टी हो या हो मीठी बेर

मन तृप्त कर जाए ढेर

देखन में छोटा है

पर करे उपाय हज़ार

न जाने कितने बीमारी का

कर जाए बेड़ा पार।

कई गुण पत्ती में इसके

कर जाए कई उपाय

निम्बू और संतरा के गुण

दोनों एक साथ आये

भगवन राम भी खाये जो

शबरी के जूठे बेर

प्रेम उमड़ पड़ा

भगवन राम चन्द्र के ढेर ।

5. Bishakha Kumari Saxena

बिशाखा कुमारी सक्सेना जी ग्रेटर नोएडा की निवासी हैं और पटना से इन्होनें अपनी सारी शिक्षा पूरी की है। ये समाजशास्त्र में स्नातकोत्तर की उपाधि प्राप्त की हुई है । इनकी रूचि कुकिग, कविता लेखन, पेंटिंग, फोटोग्राफी में है । घर की जिम्मेदारी के कारण नौकरी को छोड़ दिया था । तो पूरी तरह से अपनी रूचि की तरफ ध्यान देना शुरू किया। इन्होनें कुकिग के प्रतियोगिता में अनेक मैडल, ट्रॉफी, प्रमाण पत्र हासील कर रखा है। इनकी कुकिग में किताब भी छ्प चुकी है । लेखनी में भी मैगज़ीन और 100+

किताबों में इनकी रचनाये छ्प चुकी है। ये अच्छे विचारो को अपने लेखनी के माध्यम से लोगों तक पंहुचाना चाहती है ।

अयोध्या : राम है कण कण में

राम है कण-कण में,

अयोध्या के घर-घर में।

भक्तिमय प्रेम में बसते,

हनुमान के हृदय में सजते।

केवट के दिल में रहते,

शबरी के बेर में मिलते।

प्रभु श्री राम का नाम जपकर,

हर कोई भव सागर तैरते।

राम जी के पग पड़ते हीं,

अयोध्या की धरती पावन हुई।

मर्यादा का पाठ दिया सबको,

अयोध्या भूमि राम जी का गुणगान करके मनभावन हुई।

कौशल्या के सपूत बनकर आए,

अयोध्या नगरी को ममतामय रूप दिखाया।

अहिल्या को शाप मुक्त करके,

सबको ज़िन्दगी जीने का राह दिखाया।

सीता के सतित्व में बसे हैं,

लक्ष्मण के भ्राता प्रेम में रहते हैं।

मेरे राम जी मेरे रोम-रोम में रचे हैं

इस धरा के हर स्वरुप में मिले हैं।

6. Meera Gopalakrishnan

Meera Gopalakrishnan published a novel Seven Vows(under the pen name Shruthi) and two short stories Second Chance and The Forgiveness I seek as Meera. She has also co authored 51(28 as Shruthi,23 as Meera) anthologies so far. She is an active member of 6 writing communities and an English Judge in two writing communities. Before becoming a writer, she was working in IT industry. She loves Indian mythology, culture and Indian history and interested in weaving stories around that. She has an active profile in Wattpad shruthiravi13 and her insta id is mira_g_pai

The Power of Lord Ram

It's said if you take the name of Ram,it's equivalent to taking the thousand names of Lord Vishnu. Such is the enormity of that two letter name. Have you ever thought about why it is so? The reason is Ram was not born God. Yes he was the seventh incarnation of Lord Vishnu. However he was born only with human powers. He never used any divine power to achieve anything. But showed the world the power of a human through his actions. Innumerable sorrows happened in his life. From 14 years exile to abduction of his wife and later separation from her. But he never cursed the world for his misfortune and used each challenge as an opportunity for the betterment of the world. He taught the world to burn and become light. He taught the world to look at solutions rather than problems. He taught the world to treat your subordinates and allies at par with self. He taught the world to respect women and acknowledge her independent identity. In short his journey was how a man can become God through his actions. On Ram Navami I surrender this write up at his lotus feet and seek his divine blessing.

7. Ritu Gupta

Ritz@Ritu, hailing from Kolkata, the "City Of Joy". She carries a "Spirit Of A Warrior with a heart of a Crazy Child". She has a flair for writing and has co-authored more than thirty anthologies. Is an author of a book named, "A Place In The Sun". Loves drawing and is passionate about travelling, dancing, singing, photography, sports, cooking... in fact is a JACK OF ALL TRADES. She has done her Masters in Commerce, B. Ed, CTET, CSB Qualified, Certified GST

Professional, Certified Career Counselor, PG Diploma in Financial Accounting System, ISA Award Holder, has bagged other ACHIEVEMENTS and RECOGNITIONS in the field of EDUCATION with years of experience, in PHOTOGRAPHY, SINGING, DANCING, SPORTS, ART and in SOCIAL WORK too.

Has been awarded the PAAI KIRANMAYEE AWARD 2022 of being a ROLE MODEL for her remarkable contributions towards the betterment of the Society. Strong believer of "KARMA". Loves to spread SMILES AND POSITIVITY AROUND.

"EVERYTHING IN THE UNIVERSE IS WITHIN YOU"

We all are a Complete Life in ourselves. That's how the Creator has made each one of us. Relations are merely roles that come to play their part to aid you to traverse through the walks of life. All have their respective exits and entrances. The sooner you realize it, easier becomes accepting the fact that, it is only you for yourself with yourself, from the start till the end.

The root of all pain is "Attachment." The more security you seek, the more disturbed you will be about every change that happens in your life. Any emotion you feel be it pain or pleasure, happens from within. When pain, misery or anger happen, it is time to look within you, not around you. "Wisdom" is nothing more than healed pain.

Ask yourself, what do you really want from life? If your seeking is intense enough, knowing is not far away. That is the direction you should go. Travel far enough, you meet yourself. If all your energies are focussed in one direction, enlightenment happens. "Realisation" is the seed of enlightenment. After all what you are seeking is already within you.

8. Sukanya Biswal

She is graduate from Bachelor Degree Program in Zoology.
She is graduate from Montessori Teacher Training
She is also Graduate in Advanced Post Graduation in Diploma Computer Application.
She is passionate of photography and editor to.
Right now she is working as Coordinator in Microservices.

Lord Vishnu

It is most precious moment of very person in the world who are devotee of Lord Vishnu. It teaches us how a Man should respect whole Humanity and love for the dearones. Ram Navami is celebrate as Lord ram avatar in Tretra yug. It is celebrate as the seventh Avatar of Lord Vishnu. It is most important part of Vaishnavite tradition of Hindusim. Lord Ram was born in Ayodhya and their parents were King Dasharatha and Queen Kausalya. The festival fall on Spring (Vasant) Navrati , and falls on nineth day of bright half (Shukla Paksha) of Chaitra, as the month in the Hindu Calendar. It is also celebrate as Marriage of Lord Ram and Mata Sita. This also teaches a good lesson of humanity .

9. Usha Shrivastava

उषा श्रीवास्तव, कानपुर उत्तर प्रदेश से है. इन्हें लिखना बहुत पसंद है. इनकी कुछ कविताएं हिन्दी पात्रिक मे भी छपी है जिसके लिए इन्हें पुरुस्कार भी मिला है और कई बुक मे सह लेखक भी हुई है. ये सकारात्मक कहानिया, रोमांटिक कविताएं और शायरी लिखती हैं. इनकी कविताएं आप instagram @usha2431, sharechat और telegram के चैनल उषा हिन्दी शायरी मे पढ़ सकते हैं

राम: बस नाम ही काफी है

राम जैसा कभी कोइ भी नहीं हुआ है

राम जी के पद चिन्हों पर,

आज तक कोई भी चलने वाला ना हुआ है,

राम एक आदर्श बेटे थे,

राम एक आदर्श भाइ थे,

राम हर कार्य मर्यादा मे रह कर ही करते थे,

राम की शक्ति की सीता जी है,

सीता जी ये सीख दी है कि अपने पति का हर कदम पर साथ निभाओ,

हम राम सीता जी पैरों के धूल भी बन जाए तो बहुत बड़ी बात होगी,

उनके कुछ आदर्शो का पालन कर ले,

तो हमारा सम्पूर्ण जीवन सार्थक हो जाए,

राम एक कर्तव्य का नाम है,

राम एक प्यार भरा नाम है,

राम का नाम जो ले,

सारा जीवन उसका राममय हो जाए

Usha Shrivastava

Follow me on instagarm @usha2431

10. Neelaksh

नीलाक्ष लखनऊ, उत्तर प्रदेश का रहने वाले है। उन्होंने जय नारायण पीजी कॉलेज से बीकॉम पूरा किया है और चार्टर्ड अकाउंटेंट की पढ़ाई कर रहे हैं। वह आमतौर पर अपने शौक के हिस्से के रूप में लिखता है। वह खुद को खूबसूरती से व्यक्त करते हैं और विभिन्न अवसरों पर लिखना पसंद करते हैं। वह हमेशा हर किसी के चेहरे पर मुस्कान लाने की कोशिश करता है.. वह हमेशा आशान्वित रहता है और दूसरों के लिए सकारात्मक यादें लाता है।

जीवन....जीवन क्या है..

जीवन आनंदमय लॉन्ग ड्राइव है,

बस प्यार और यात्रा को महसूस करें जिसका आप आनंद लेते हैं।

यह अपार अवसर देता है और कभी वंचित नहीं करता,

यह हमेशा प्राप्त करने के लिए हमारी स्थिति और खुशी को ऊपर उठाने का प्रयास करता है।

यह दुख और प्रेम का अच्छा हिस्सा देता है,

हमारे सपने या कल्पना में भी, हमारी हालत में सुधार होता है।

हम आनंद लेने के लिए इसका संकेत क्यों नहीं ले सकते,

जीवन अप्रत्याशित है और हमारी स्थिति अस्थायी है जिसमें उड़ने के लिए कभी भी काल्पनिक पंख हो सकते हैं।

हमें अपने आप से बहुत प्यार करना चाहिए ताकि हमारे अंदर एक खुशनुमा स्थिति हो,

यह हमारे विचारों, कल्पना और प्रेम, सफलता को विस्तृत करता है, यह कभी वंचित नहीं करता है।

11. Dr Major Nalini Janardhanan

Dr (Major) Nalini Janardhanan, is a doctor who served in Indian Army as an Army Medical Officer She is a popular writer of Kerala who got Katha Award and a writer of many medical books for which she got IMA Sahithya Award. She is an Akashvani(All India Radio) and Doordarshan approved artist of Ghazals and Bhajans.

MARYADA PURUSHOTTAM RAM

Lord Sri Ram, the 7th incarnation of Lord Vishnu, was born on Navami Tithi of Shukla Paksha of Chaitra Masa which is celebrated as Ram Navami. As per numerology, the number 9 is a complete number. His parents were King Dasharatha and Kausalya. Lord Sri Ram is known as 'Maryada Purushottam' meaning the perfect follower of rules and laws. 'Maryada' in Sanskrit means righteousness or honour. 'Purushottam' means the supreme man.

Though Lord Sri Ram was God himself, he was humble and lived like a common man. He had patience and sticked to his words. He always obeyed his mother, father and guru(teacher). He never asked why and always tried to follow their orders. A typical example is his exile for 14 years in forest, as per the wish of his stepmother Kaikeyi, just to keep up the promise given to her by his father. He showed love and respect to his wife and brothers. Lord Sri Ram was an ideal son, student, husband, father and king. He sticked to his words and followed the path of truth and Dharma. He was a devotee of Lord Shiva. Being a symbol of Sanatan Dharma, he set an example for people.

Lord Sri Ram is the most perfect, unique and complete incarnation.

JAI SITARAM!

Dr Major Nalini Janardhanan

12. Ranbir Bhakat

Author by heart and passion.
Writing since He was 16.
Ranbir Bhakat is pursuing an integrated undergraduate course in Commerce from Calcutta University, Kolkata. His writeups touches reality and reaches everyone's heart. He wants to grasp and grow in his writing journey. His poems can please your broken heart and

also please your emotions.

Wrote about 350+ Anthologies & 2 Solo Book in preparation.

Insta Id: @_writing__tales_

TREASURES !

A rainbow from a summer shower,

A rose that blooms within an hour.

Yes, treasures come in so many ways.

A baby's staring, wandering gaze,

A dolphin's dance on ocean waves.

Yes, treasures come in so many ways.

The heart beats of two souls in love,

A beautiful white and peaceful dove.

Yes, treasures come in so many ways.

A sky full of snowflakes of rarest form,

A cup of cocoa to keep us warm.

Yes, treasures come in so many ways.

A house full of family on holidays.

For these treasures we should give God praise!

Yes, treasures come in so many ways.

13. भावना मोहन विधानी

अमरावती निवासी सौभाग्यवती भावना मोहन कुमार विधानी को बचपन से ही लेखन का बहुत शौक रहा है। उन्होंने अपने लेखन का सफर कक्षा सातवीं से बाल कविताओं के रूप में शुरू किया। उन्होंने अब तक काफी सारे लेख शायरी कहानियां कविताएं लिखी है, जो काफी सारी पत्र-पत्रिकाओं में प्रकाशित हो चुकी है। उन्होंने कई बार ऑनलाइन कवि सम्मेलनों में भाग लिया है। लेखन के साथ-साथ भावना जी को बागवानी कुकिंग और गायन का शौक है। भावना जी ने शादी से पहले सहायक शिक्षिका के रूप में भी कार्य किया है। भावना जी को सोशल वर्क में भी बहुत रूची है। वो

अमरावती की कई सामाजिक संगठनों से जुड़ी हुई हैं। उन्होंने अपने घर में एक छोटा सा किचन गार्डन बना कर रखा है उनका मानना है कि सबके घरों में पेड़ पौधे होने चाहिए।

प्रभु रामजी

जन्म लेते ही मुख से निकला,

पहला शब्द था वो राम का नाम।

राम भक्ती मे जीवन बिताया,

स्मरण करते रहे बस सुबह शाम।

रामचरित मानस को रचकर,

राम कथा को हर घर पहुंचाया,

रामजी के दर्शन कर तुलसी की,

तृप्त और धन्य हो गई काया।

पत्नी रत्नावली की फटकार से,

तुलसी के मन मे परिवर्तन आया।

राम भक्ती मे रम गये वो ऐसे,

जीवन मे फिर न कोई और भाया।

बाबा तुलसी की अनुपम कृतियां,

बढ़ाये संतो की धरा पर शान।

अपने हर ग्रंथ मे बाबा तुलसी ने,

किया मान मर्यादा का सुंदर बखान।

रामजी का छवि वर्णन किया ऐसे,

तुलसी के राम सबको मन भाये।

रामजी का स्मरण मनन नित करे,

वो मानव आत्मिक सुख पाये।

सौ, भावना मोहन विधानी।

14. Keerthi Priya M

She is Keerthi. She began writing in April and has been a co-author in more than 100 anthologies apart she has won lots of certificates in online writing challenges. She loves photography, art, and gardening, and also she is an enthusiast who has won certificates in the fields of debate, essay, and art competitions.

She is also working as an English reviewer in a writing community!!

Ramanavami

R- Rising from the womb of joy

A-Arising is a great warrior

M- Mythological form of Vishnu

A-Affectionate to his family

N- Now worshipped as a God

A-Abloom in the cloak of flowers

V- Various forms but the same devotion

A-Adorable by his thoughts and qualities

M- Magnificent by his deeds

I -Infinite repute through his respect

15. Ramanpreet Kaur

रमनप्रीत कौर 16 साल की लड़की है। वह अपने व्यस्त जीवन में व्यस्त थी।और जब उसे लिखना काफी दिलचस्प लगा तो यह उसके लिए एक सुखद अनुभव था। और धीरे-धीरे यह उनके लिए एक आनंद बन गया क्योंकि लेखन को दिल से जोड़ा गया है।

दशरथ नंदन

त्रेता युग के विष्णु आए

साथ अपने रीति,नीति लाए

लाडले माँ कौशल्या के

न्यारे वे पिता दशरथ के

सारे बंधनों को तोड़ कर आए

साथ जग की खुशियाँ लाए

आए थे पाने अपनी सीता को

जन्मी धरती से जो उनके ही लिए

मिलना उनका था विधि का विधान

मिलकर भी मिल न पाए थी सृष्टि की नीति

जन्मे थे वो अपने भाइयों के भ्राता बनने

जन्मे थे वो दशरथ नंदन बनने

जन्मे थे रावण के अंत के लिए

बुराई पर अच्छाई की जीत के लिए

और सबको यह बतलाने ,

' रघुकुल रीत सादा चली आई प्राण जाए पर वचन न जाए '

16. Vijayamalathi Mani

Vijayamalathi Mani pursuing her Master Degree in English Literature. She is a poetess, co compiler, Compiler and project head. She engrossed in inking quotes and poetry. She is a pluviophile.Glance her musings on YQ @Violet vibes.She wrote more than 3000 quotes on YQ. She has compiled a anthology captioned "Miene Instinkate". She received more than 250 e certificates in various competitions. She is the core member of Solaced pentales, World of

Logophiles, Inner Souls. She has co-authored 500+ anthologies. She believes through writings only can win other's heart!

HE IS EVERYWHERE

Oh my Lord,

You are there,

You are here,

You are everywhere,

Give me problems,

Put tests to me,

I won't die,

But don't let me alone,

Hold my hands,

By your guidance,

My life going good,

By your blessings,

I'm being successful,

By your mercy,

I'm here,

I happily accepted,

What do you gave me,

I happily accept,

What do you giving me,

I will happily accept,

What do you will give me,

There is nothing,

In the world except you,

Please save everyone

17. Kamini pradhan

कामिनी प्रधान , पिता -श्री मंगल प्रसाद प्रधान, माता -श्रीमती तपोवंती प्रधान , जो ग्राम पंचायत- आमगांव ,शाखा -तमनार ,जिला- रायगढ़ छत्तीसगढ़ से रहने वाली हैं , जो अभी एम. एस .सी रसायन शास्त्र में अध्ययनरत है, जो पढ़ने लिखने के साथ ही संगीत में रुचि रखती है ।

रामनवमी

राम सीता मिलन का इतिहास में नाम रचाना है ,

पवित्र गठबंधन सिया राम का रामनवमी मनाना है ,

चारो ओर खुशियों की बौछार होनी बाकी है ,

राम नाम के रैली गांव गली में निकालनी है ,

राम न हिंदू को जानते है , न मुस्लिम ,

न सिख , न ईसाई है ......!

कर्म से सत्य वचन को ही साक्ष्य मानते है ,

भेदभाव के नाम से कभी जिए ही भी नहीं ,

अपनी मर्यादा के लिए अपनी भार्या की परवाह न करने वाले ,

कटु वचन से ग्रसित इंसान की सोच को मधुर वाणी में बदल लेते है ,

राम नाम से जीवन मुक्ति के मार्ग में गमन करता है ,

राम नाम को जिसने अपने जीवन में उतार लिया ,

मानो उसी ने वैकुंठ धाम का रास्ता पा लिया ,

बुराई नही करनी और असत्य वचन को न अपने जीवन में लाना है ,

सबमें हित में रहकर ही राम नाम से जीवन गुजारना है ।

18. Aayush Khanna

Aayush khanna is a software engineer by profession and poet by passion. He was born and raised in Amritsar. He has passed his higher secondary education and senior secondary education from Manav Public school, Amritsar. He has completed his bachelor's degree in computer science engineering from the Amritsar group of colleges.

Lord Rama

His silence pacifies the world

His voice was like that never heard

His promise is a lesson for all

His loyalty is always appreciated by one and all

His character defines humanity

His justice kills insanity

His blessings make all divine

He was an incarnation of the divine

His sacrifice is the biggest of all

His purity makes him divine in whole

His love was very pure

He defeated Ravna, and his wife he cured

His efforts defeated Lanka's king

His friend Vibhishnana was their weak link

His blessings let one standing on the ninth cloud

His presence makes everyone happily shout

His knowledge beats gurus around

He was rooted on grounds

His love never let him touch anyone

His wife left and he didn't marry anyone

He was an idol for one and all

Lord Rama was the finest incarnation of god.

19. Deepika Rathor

इनका नाम दीपिका राठौर है । वह राजस्थान की रहने वाली है।
पूर्ण बी.एससी. नर्सिंग और अब वह नर्सिंग अधिकारी की तैयारी।
लेखन उसके लिए दिलचस्प विषय है। और वह अपने लेखन के हर
विषय के लिए एक नई चुनौती समझती है।

मां

बस इन हाथो को जोड़कर खड़ी रहूं चरणों में तेरे सदा।

इतनी खुशियां मत देना की भूल जाऊ तुझे में मां ।

रहमत तेरी तू बरसाते रहना, आंखे मेरी नम तू होने ना देना।

जो दिखे तुझे दर्द मेरा, तो आकर संभाल लेना।

किसी और का सहारा लेना पड़े, ऐसा दिन तू आने मत देना।

कुछ ज्यादा नही चाइए, बस मेरे अपनो को तू सलामत रखना।

झुके ना कभी सर, उनका शर्म से, हे मां तू मेरे अपनो की लाज रखना।

20. Anwesha Rath

अन्वेषा रथ,
छोटे शहर की एक लड़की जो बड़े-बड़े सपने देखती थी, अब
एंथोलॉजी में काम कर रही है, वह सिर्फ 19 साल की है, वह
ग्रेजुएशन कर रही है, उसका उद्देश्य सिर्फ अपने माता-पिता की
देखभाल करना है क्योंकि उन्होंने उसकी देखभाल तब तक की जब
तक कि उसका सपना कविता नहीं लिखना बल्कि हार्दिक संदेश
साझा करना है। .

श्री राम

जन्म होते लेते हैं नाम

मरन के समय लेते हैं नाम

उससे अच्छा न कोई स्थान

नाम एक लो शुभ होते सारा काम

है उसके लाखों नाम

कभी शाम कभी राम

उनके हृदय से बड़ा न कोई धाम

वह है राम

जय श्री राम ।

21. Sonika

इनका नाम सोनिका है । यह दिल्ली शहर की निवासी है । वह आमतौर पर शौक के तौर पर लिखती हैं। उन्हें विभिन्न विषयों पर लिखना पसंद है। वह चाहती है कि उसके आसपास हर कोई खुश रहे। वह हमेशा आशान्वित रहती है और दूसरों में सकारात्मकता लाने की कोशिश करती है। उनका मानना है कि लिखने से कोई भी दिल जीत सकता है।

राम भूमि

जन्म लिया अयोध्या में,

बना दी एक राम भूमि |

कौशल्या के बने लाडले,

दशरथ के थे राज दुलारे |

गुरुकुल से शिक्षा लेकर,

राक्षसो को मार गिराया |

गुरुओ का मान करना हमें सिखाया,

ऐसा धर्म का पाठ पढ़ाया |

"पिनाक धनुष" को तोड़ गिराया,

सीता से ब्याह रचाया |

स्वयंवर जीता,

इतिहास रचाया |

मान रखा पिता का,

चौदह वर्ष का वनवास पाया |

रावण को मार गिराकार,

सीता को अधर्मी से बचाया |

ऐसे एक अटूट बंधन में रहना हमें सिखाया,

हर रिश्ते को मान देना, ऐसा पाठ हमें पढ़ाया |

अधर्म की राह पर चले ना कोई,

धर्म का मार्ग हमें दिखाया |

ऐसा श्री राम ने हमें धर्म सिखाया |

22. Annapoorni E G

Ms.Annapoorni is an undergraduate in English Language and Literature and an avid writer from Kerala. She completed her High School and Higher Secondary from the prestigious Zamorins Higher Secondary School, Calicut. Writing started becoming her passion since the outbreak of the Covid-19 pandemic when she was locked up like all other citizens around the globe and thereafter she started exploring her best through this beautiful art form. Her areas of interest include Historical Studies, Political Science and Indian Writings in English. Article and Short Story writing are her key passions. Adding to credit, she is a budding blogger, who's currently blogging for the Times of India E-Readers Column. As of now, she has co-authored more than 80 anthologies and has also published articles in the global Namaste India E-Magazine, Maharashtra. She has recently compiled a book titled "Life is Beautiful " under Lost Pearl Publication, her maiden venture.

Curse of Vrinda & The Birth of Sriram

The Treta Yuga (Treta epoch) precedes the Dwapara Yuga, which is the second era after Satwa Yug . Lord Vishnu incarnated as Bhagwan Sriram on the earth during the Treta Yug in the Suryavansh (also known as Raghuvansh) as the eldest son of King Dasharatha in Kowsalya. Narayan's motive behind this incarnation was to annihilate evil and establish Dharma, as Krishna was born in Dwapara Yuga. Besides, Lord Narayan was the victim of a severe curse from Vrinda, the wife of the demon King Jalandar which forced him to assume human form.

Jalandar was an embodiment of Lord Shiva who was born out of his third eye who lost his mother in a very young age. He believed that Devas were the cause for his mother's untimely demise and started possessing vengeance upon them. Later on, he acquired tremendous powers with the guidance of his Guru Shukracharya, thereby existing as an hazardous threat against Devas and even the Trimurthis. In order to become victorious in the war against Devas, Jalandar's wife Vrinda arranges a sacred Pooja for her beloved Lord, Sriman Narayan. She ardently believes in Narayan and trusts him to protect her husband in any circumstances. But Narayan had to betray his pious devotee like never before by disguising himself like Jalandar, or else her Pooja would turn effective and result in Jalandar's victory. Vrinda misunderstands him as Jalandar and goes around the idol of Narayan three times with him. While about to present him the God's offering, she notices an unusual spark from his body and realizes that it wasn't her husband. Narayan appears in his original form before Vrinda, by then Vrinda would've lost all her beliefs upon her deity. As a result of this betrayal from the God himself, she curses Narayan to be born on earth and undergo the pain of losing his wife in untime as Jalandhar would be undergoing by finding Vrinda dead sooner. Declaring her curse, she drowns herself in the sea and dies. This has been recorded as one of the root causes for Sriram to lose Sita Devi during the 14 years of VanVaas.

23. Sweety Sharma

इनका नाम स्वीटी शर्मा है। इन्हें बचपन से ही डायरी लिखने का बेहद शौक है। ये कविताएँ, लघु कहानियाँ, पंक्तियाँ, आदि लिखती हैं । इन्हें किताबें पढ़ना बेहद पसंद है। ये अपने सपनों को हकीकत में बदल रही हैं । लिखने के माध्यम से ये अपनी दिल की बातों को लोगों तक पहुँचाने का प्रयास कर हैं ।

प्रभु श्री राम

जिन्होंने अपने सुंदर और सरल रूप से अपने माता-पिता के मन को मोह लिया,

जिन्होंने अपने राज्य के लोगों से खूब स्नेह पाया,

जिन्होंने अपनी विद्या पूर्ण कर गुरुजी के ज्ञान के मार्गदर्शन का पालन किया,

जिन्होंने सदैव सत्य के पथ पर चलना बतलाया,

जिन्होंने प्रेम का संदेश बड़े धैर्य के साथ दिलवाया,

जो अपनी अर्धांगिनी के वियोग में संघर्ष का पाठ पढ़ाया,

जिन्होंने कठोर परिश्रम कर अपने साथियों और मित्रों का अंत तक साथ निभाया,

जिन्होंने राह-राह भटकते हुए अपनी सिया के दुख में चूर होते चले थे,

जिन्होंने अपने भाई के वियोग में स्वयं को न्योछावर करने चले थे,

जिन्होंने बड़े-बड़े राक्षसों के अहंकार को तोड़ सर्वनाश कर सत्य पर विजय पाई थी,

जिन्होंने अपनी सिया को पाने की अग्नि परीक्षा भी ली थी,

जिन्होंने अयोध्या का राज-काज संभाला अपने पिता के आदर्शों का सम्मान किया था,

जिन्होंने अपनी प्रजा के लिए अपनी पत्नी सीता जी का भी त्याग किया था,

जो मर्यादा पुरुषोत्तम के नाम से जाने जाते हैं,

जो आज भी सत्य के मार्ग पर चलने की प्रेरणा हैं,

वही हमारे प्रभु श्रीराम हैं..

एक ही नारा

एक ही नाम,

जय श्री राम।

जय श्री राम।

जय श्री राम।

24. Akshita Aggarwal

अक्षिता अग्रवाल एक कवयित्री, लेखिका और कई संकलनों की सह-लेखिका हैं। वह दिल्ली से हैं और अपने सबसे अच्छे दोस्त और कोई नहीं बल्कि अपनी कलम के साथ अपना समय बिताना पसंद करती हैं। जब वह अपनी कलम के साथ नहीं होती है तो वह अपना समय प्रेम कहानियां, उपन्यास पढ़ने और संगीत सुनने में बिताती है।

संकल्प शक्ति

किसी काम को,

हर हालात में पूरा करने का जुनून है,

संकल्प शक्ति।

हर मनुष्य के अंदर विद्यमान है,

संकल्प शक्ति।

कार्य सिद्धि के लिए जरूरी है जो,

सफलता की पहली सीढ़ी है जो,

मन के हारे हार है, मन के जीते जीत

का पाठ पढ़ाए जो,

मेहनत को प्रेरित करे जो,

वह है संकल्प शक्ति।

संकल्प शक्ति पर निर्भर है,

हमारी नैतिकता और ईमानदारी।

इसे चरित्र की पहचान बना लो जो,

हर काम पूरा करने की,

है यह जिम्मेदारी।

महान लोगों की है यह पहचान।

सबसे प्रमुख भगवान श्री राम।

राम-लक्ष्मण जब भटक रहे वन-वन,

मां सीता को हर ले गया रावण।

जब पड़े अकेले बस भाई था साथ,

साधन में थी, एकमात्र धनुष की ही आस।

जिसने हरा अकेलेपन का गम,

संकल्प शक्ति ही थी हरदम।

सुग्रीव से सहयोग जुटाया,

रावण को परास्त कर दिखाया।

जीवन की सजीवता का बोध करा दे जो,

व्यक्ति के जीवन का निर्माण कर दे जो,

व्यक्ति को निम्न से महान बना दे,

यदि व्यक्ति मन में संकल्प शक्ति जगा दे।

एक सफल और सामान्य व्यक्ति के,

बीच का फर्क है,

संकल्प शक्ति।

अच्छे काम के लिए ज़रूरी नहीं सिर्फ शक्ति,

संकल्प शक्ति से ही है,

हर कार्य की सिद्धि।

बुरी आदतों से निजात दिला,

नए भाग्य की रचना का साधन है,

संकल्प शक्ति।

हमारी स्थिति का आधार है,

संकल्प शक्ति।

जीवन की दिशा और दशा तय करे जो,

हमारा मनोबल पल में बढ़ा दे जो,

विश्वास की ज्योति जलाए जो,

आत्मविश्वास के शिखर पर पहुँचाए जो,

हमारी बुद्धि हमारे लक्ष्य के प्रति स्थिर करे जो,

चाहो समाज में प्रतिष्ठा या चाहो विद्या की अति,

सभी का साधन है,

बस संकल्प शक्ति,

संकल्प शक्ति........।

25. Manharan

इनका नाम मनहरण हैं, ये धमतरी - के एक छोटे से गांव गिरौद
(छत्तीसगढ) से हैं । इन्फॉर्मेशन टेक्नोलॉजी में कलिंगा यूनिवर्सिटी
से स्नातक हो गया है । इन्हे कविता लिखना वा अकेले रहना
पसंद हैं।

भोलेनाथ

भूतों को डमरू से नचाने वालें,

भस्म सुशोभित हैं जो,

गले जिनके, वाशुकी विराजते हैं।

आभूषणों में रुद्राक्ष धारण करते हैं जो,

जिनकी डमरू से, सुरों की उत्पत्ति होती हैं।

जिनको भाए, भांग धतूरा,

गणों के स्वामी हैं जो,

मीठी मुस्कान लिए हैं,

भोले हैं वो,

मगर क्रोध आए,

तो तांडव करते, महाकाल हैं जो,

ब्रम्हांड कापते मात्र,

त्रिनेत्र का नाम सुनकर,

जो देव असुरों से, समान देखते हैं वो,

संग जिनके माता पार्वती हैं,

गणेश कार्तिके के पिता हैं जो,

प्रणाम हैं, शत शत बार..

नमन हैं उनको..

महाकाल, शंकर, भोलेनाथ भोले हैं जो।

महाकाल,शंकर,भोलेनाथ

भोले है जो।

-मन?

26. आचार्य आशीष पाण्डेय

आचार्य आशीष पाण्डेय १२-७-२०००-सुल्तानपुर उत्तर प्रदेश के परसडा नामक ग्राम में हुआ है इनकी बचपन से ही काव्य में रुचि रही जिसके फलस्वरूप इन्होंने २१वर्ष की अवस्था में पुस्तकों की रचना की, विभिन्न पत्रिकाओं में इनकी रचना प्रकाशित हुई है और आगे भी होती रहेगी।ये काव्य भारती, सरस्वती सृजन सम्मान,युवा,शक्ति, सरदार वल्लभ भाई पटेल जैसे आदि पुरस्कारों से सम्मानित हैं

ये अभी अध्ययन रत है और भागवत कथा कर्मकाण्ड,ज्योतिष आदि के जानकार भी हैं ।

रामनवमी

धवल प्रभाकर धवला रश्मियां

सजी गगन घन वरुथिनी

दिशा-विदिशा पवमान सुखद

ले बहा सुमन रस का हिमनद।।

झील- तड़ाग- समुद्र लहर

धरणी पर हिमकण गया छह

पुलकित हो उठा समाज विहग

नग- अग जटिलता गयी बिखर।।

तरु सुमनों का श्रृंगार किए

अहि जीर्ण वसन को त्याग दिए

सरयू मलीनता त्याग रुचिर

निर्मलार्जुन धारा सजा लिए।।

तिथियों ने अपना क्रम बदला

नवमी तिथि का था मन मचला

वह अधर मन्द मुस्कान लिए

झमझम करती आई अचला।।

सुकुमार दिवाकर रुप धरा

बादल ने धर लिया वसन हरा

दशरथ के मंजुल राजमहल

उस दाशरथी ने रूप धरा।।

27. Bhawna Agnihotri

इनका नाम भावना अग्निहोत्री है।
ये रायपुर शहर की रहने वाली हैं।
इन्हें कविता लिखने का शौक है।
इन्होंने रांझणा" कहानी लिखी है।

राम

राम से शुरू राम पर ही खत्म है

सनातन धर्म की सत्य पर जीत है

करे जो विनाश लंकापति रावण के अहंकार का,

वो दशरथ पुत्र श्री राम है,जो न जाने हिन्दू ,मुस्लिम

वो मर्यादा पुरुषोत्तम श्री राम है,

वही अनादि वही अनंत वही सत्य के आधार हैं

उनके सिवा दूजा न कोई वो मर्यादा पुरुषोत्तम श्री राम है,

कथा सनातन धर्म की जो श्री हरि रघुराई हैं,

तीन भाइयों लक्ष्मण, भरत , शत्रुघ्न संग वो दशरथनन्दन कहलाये हैं,

आई थी फिर से मंगल घड़ियां जब मर्यादा पुरुषोत्तम राम सिया कहलाये
थे ।

28. Tejaswi Pappu

Tejaswi.Pappu is born and brought up in vishakapatnam,andhrapradesh .it's ,the city of destiny always inspires her to be more creative and thoughtful.she completed M.Tech. she is working as assistant professor in engineering college. She is a former educationist, Passionate writer, communication trainer ,Amateur of nature ,wanderlust and avid reader .she is a writer who shares her emotions and thoughts through words, which conveys message in amicable way.she is a coauthor for 400+anthologies and has got pages

https://www.yourquote.in/trendytejaswi

https://www.facebook.com/trendytejaswi/

she wrote more than 800+ quotes,which are inspiring and heart touching.she always feel 'writings is stress buster !'

Lord born to guide normal

It's a story of incarnation of God who was born as human to an emperor.gained all the love like a beloved child from the whole kingdom but faced tests from the great persons to understand his power as just human.

Even though born as prince,walked to forest with Saint to protect his rituals .

Married the lady of his dreams but never be able to spend love together, even though nothing happened as he planned he never gave a thought to share his love with another lady.left whole kingdom and all luxurious and went to forest with his newly wedded wife respecting his father's word.helped the one who seeked alms even if he was from enemy bloodline.killed the great monster who was troubling the world even though he was 100 times more powerful .lived like a human with all emotions , struggles and pain .he showed the idel way of living the life without losing the dharma even if troubles disturbs the lifestyle.that is Lord Sriram and his story written by great sage valmiki to show us how life should be lead.

29. Deval chhatbar

देवल छाटबार एक शिक्षक होने के साथ-साथ एक कंटेंट राइटर भी हैं। वह गुजरात, भारत से है। वह आईटी की छात्रा थी लेकिन पढ़ाने में उसकी गहरी दिलचस्पी ने उसे अलग रास्ते पर ले जाया और वह एक शिक्षिका बन गई। पढ़ाने के अलावा जो चीज उन्हें आकर्षित करती है वह है कविता। इसलिए उन्होंने कविताएं लिखना शुरू कर दिया और क्षेत्र की खोज शुरू कर दी।

श्री राम

राम वनवास गए

पुत्र धर्म निभाने को,

सीता वनवास गए,

पत्नी धर्म निभाने को,

लक्ष्मण भी संग गए,

भ्रातृ धर्म निभाने को,

रावण ने सीता का हरण किया,

राम के हाथों मोक्ष पाने को,

हनुमान ने लंका दहन किया,

भक्त प्रेम दिखाने को,

राम ने रामसेतु बनाया,

पत्नी प्रेम दिखाने को,

एक रामायण ने सिखाया,

सबको अपना धर्म निभाने को ।

अध्याय 30

31. Madhu Kashyap

ये है मधु कश्यप,इनकी शिक्षा BA.MA.B.ed.NTT Yoga Teacher.or वर्तमान में ITI or STET.की तैयारी कर रही है,और ये अमन शहीद नौबस्ता हमीरपुर उत्तर प्रदेश में रहती है। इनकी रूचि पढ़ाई मे होने के साथ-साथ इनको लिखने का भी बहुत शौक है।और समाज सेवा करना भी इनको बहुत बहुत अच्छा लगता है। ये अपने भविष्य में एक अच्छी अध्यापिका बनने के साथ-साथ एक अच्छी लेखिका भी बनना चाहती हैं, इनकी हाल ही में चार पुस्तके प्रकाशित हो चुकी है 1-"प्रवाह", 2-"प्यारी माँ", 3-"शबनम",4-"ख्वाबो का पुलिंदा"। इनकी अधिकतर कविताये

असफलता के ऊपर होती है, अतः इनका प्रयास जारी है और पूरी उम्मीद है एक दिन ये सफल जरूर होगी ।

श्री राम

सारा जग है प्रेरणा

प्रभाव सिर्फ राम है

भाव सूचियाँ बहुत हैं

भाव सिर्फ राम हैं.

कामनाएं त्याग

पूण्य काम की तलाश में

राजपाठ त्याग

पूण्य काम की तलाश में

तीर्थ खुद भटक रहे थे

धाम की तलाश में

कि ना तो दाम

ना किसी ही नाम की तलाश में

राम वन गये थे

अपने राम की तलाश में

आप में ही आपका

आप से ही आपका

चुनाव सिर्फ राम हैं

भाव सूचिया बहुत हैं

भाव सिर्फ राम हैं.

ढाल में ढले समय की

शस्त्र में ढले सदा

सूर्य थे मगर वो सरल

दीप से जले सदा

ताप में तपे स्वयं ही

स्वर्ण से गले सदा

राम ऐसा पथ है

जिसपे राम ही चले सदा

दुःख में भी अभाव का

अभाव सिर्फ राम हैं

भाव सूचिया बहुत है

भाव सिर्फ राम हैं

ऋण थे जो मनुष्यता के

वो उतारते रहे

जन को तारते रहे

तो मन को मारते रहे

इक भरी सदी का दोष

खुद पर धारते रहे

जानकी तो जीत गई

राम तो हारते रहे

सारे दुःख कहानियाँ है

दुःख की सब कहानियाँ हैं

घाव सिर्फ राम हैं

भाव सूचिया बहुत है

भाव सिर्फ राम है

सब के अपने दुःख थे

सबके सारे दुःख छले गये

वो जो आस दे गये थे

वही सांस ले गये

कि रामराज की ही

आस में दिए जले गये

रामराज आ गया

तो राम ही चले गये

हर घड़ी नया-नया

स्वभाव सिर्फ राम हैं

भाव सूचिया बहुत हैं

भाव सिर्फ राम है

जग की सब पहेलियों का

देके कैसा हल गये

लोग के जो प्रश्न थे

वो शोक में बदल गये

सिद्ध कुछ हुए ना दोष

दोष सारे टल गये

सीता आग में ना जली

राम जल में जल गये ।

32. Jagdish solanki

लेखक कवि शायर जगदीश सोलंकी की जन्मस्थली वीर शिरोमणी राजस्थान की पावन धरा के सांस्कृतिक जिले बाड़मेर के अरावली पर्वतमाला के बीच स्थित एक प्रसिद्ध गांव मायलावास है । अपने मन के विभिन्न रहस्य से भरे जज्बातों को अल्फाजों में पिरोने का एक अद्भुत हुनर रखते हैं । एकांत में रहकर इन्हे अल्फाजों को कागज़ पर पिरोने का का शौक है । फितरत ए- सादगी वाले जगदीश सोलंकी एक - सफल विद्यार्थी है । वर्तमान में ये स्नातक द्वितीय वर्ष के छात्र होने के साथ साथ जोधपुर के एक ऑनलाइन एजुकेशन प्लेटफॉर्म पर कंप्युटर ऑपरेटर (C.O.) के पद पर

कार्यरत है। इंस्टाग्राम its._jagga_

श्री राम

राम सांस सांस में समाए हुए है

भारत की आत्मा में छाए हुए है

संकटों में खूब आजमाए हुए है

राम प्रतिमा नहीं है प्रतिमान है

नभ में चमकते हुए दिनमान है

वाल्मीकि तुलसी का वरदान है

एक आदर्श है वो भगवान है

राम आस्था है, कोई नारा नहीं है

सुबह का नहीं है जो वो शाम का नहीं

राम का नहीं वो किसी काम का नहीं।

पथराई अहिल्या को तारा राम ने

अत्याचारी असुरों को मारा राम ने

सुग्रीव की राह में भी राम मिलेगे

राम जी तिजोरी में कुबेरों में नही

शबरी के बेरों में भी राम मिलेगे

राम दशरथ की पुकार में मिले

केवट के संग मझधार में मिले

राम भक्ति भाव से ही जीने में मिले

राम हनुमान जी के सीने में मिले

राजा का है किस्सा गुलाम का नहीं

राम का नहीं वो किसी काम का नहीं।

राम सिया दूजी कोई युक्ति नहीं है

राम नाम सत्य बिना मुक्ति नहीं है

जागता प्रमाण है ये नाम का नहीं

राम का नहीं तो किसी काम का नहीं।

33. Bishakha Bera

Bishakha is a 16year old teenage writer, always lost in her own world. She writes quotes, poems to express her thoughts and feelings through words on paper. She hopes her writings will influence other writers to do well.She thinks that writing brings out the best or worst of thought from you and you never know who or when will it be read by someone. She wants to reach the good ideas to the people through her writings.

King Be Like Ram

Human and apes have embraced, have rang in the world,

Dharma descended on the earth again, destroyed the Lanka
of the wicked.

Religion should be based on truth, knowledge should be
like the pure Ganges,

There should be no pain of hunger and thirst, every human
being should be like a human.

Worship Shakti in Navrata, every body becomes like a
thunderbolt,

Whoever rules, whether there is a king like Shri Ram.

Let us go to the door of every Shabari, where we light the
Ahilya lamp,

Ram Tattva is inside everyone, come wake him up again

Auspicious occasion is the birth of Ram, come let's all bow
our heads together.

Kill the tama sitting inside, let's rejoice together.

There is a lot of Navami to be, the shade of this Navami is
unique,

Worship the world of Navarat, Sheetal, Jwala, Gauri, Kali.

The Navami that would have been the birth of Ram, the glory of that Navami is wonderful,

The world would also be drunk, Holi in the day, Diwali at night.

Ingram Content Group UK Ltd.
Milton Keynes UK
UKHW011017300323
419408UK00001B/135